Le nouveau petit livre à lire aux toilettes

ISBN 978-2-7540-4467-7
Dépôt légal : 2e trimestre 2013
Imprimé en Italie

Maquette : Olivier Frenot
Éditions First, un département d'Édi8,
12, avenue d'Italie
75013 Paris
Tél : 01 44 16 09 00
Fax : 01 44 16 09 01
E-mail : firstinfo@efirst.com
www.editionsfirst.fr

Le nouveau petit livre à lire aux toilettes

Florian Gazan

« Je dédie ce livre à toutes celles et tous ceux qui ont aimé le premier et sans qui celui-ci ne serait jamais sorti de mon imagination. Et pas que de mon imagination vu son titre... »

Le Qatar est le pays le plus pollueur au monde avec une émission annuelle de 54 tonnes de gaz carbonique. Du coup, là-bas, quand on porte la burqa, ça n'a rien à voir avec la religion, c'est juste un masque antipollution.

En 2060, il n'y aura plus un seul roux sur terre. Vous imaginez un monde sans Véronique Genest et Mylène Farmer ? Eh ben, qu'est-ce que ce serait bien !

Aux États-Unis, la sauce tomate des pizzas est officiellement considérée comme un légume. De quoi ravir les petits Américains obèses, qui depuis longtemps considèrent la fraise Tagada comme un fruit.

Qui veut gagner des millions cartonne au Pakistan avec une version où toutes les questions portent sur le Coran. On attend maintenant leur version des *Z'Amours* dans laquelle l'homme répond à toutes les questions, y compris celles qu'on pose à sa femme.

D'après une étude, les chats sourds voient mieux. Alors que chez les hommes, c'est différent : les hommes aveugles entendent moins bien. Sinon, Gilbert Montagné ne ferait pas cette musique.

Il y a plus de bactéries dans votre bouche que d'humains dans le monde. On comprend mieux l'expression « avoir une haleine de chiottes »…

Le Japonais Masanobu Sato détient le record du monde de l'érection avec 9 heures 58 minutes. C'est ce qu'on appelle du développement durable.

Arrêter de fumer
avant 40 ans permettrait
de regagner 10 ans de vie.
Sinon pour ceux qui veulent
continuer de fumer,
il reste le Botox.

Dans le film *Le Parrain*
de Francis Ford Coppola,
chaque fois que vous
apercevez une orange
dans une scène, c'est que
quelqu'un va se faire tuer.
Et si vous apercevez une
mandarine, c'est que
la victime sera un nain...

50 % des enfants de moins de 6 ans ne se sont jamais brossé les dents. C'est pas très sympa pour les prêtres, ça.

Chaque année, 400 milliards de tasses de café sont consommés dans le monde. Autant vous dire que Grand-Mère®, en faisant un bon café, s'est surtout fait une bonne retraite.

Environ 160 000 personnes mourront le même jour que vous. Mais de toute façon vous ne pourrez pas vérifier si c'est vrai!

Les papillons ont 12 000 yeux puisqu'ils ont en fait comme 2 boules à facettes recouvertes de 6 000 mini-yeux. Avoir des boules facettes à la place des yeux…, le fantasme de David Guetta !

Le cartable d'un enfant pèse en moyenne 8 kilos et demi. Ça veut dire que quand elle était gamine, Mimie Mathy portait son poids sur le dos.

La ville anglaise de Dartford dont sont originaires Mick Jagger et Keith Richards a donné à certaines de ses rues le nom de chansons des Rolling Stones. On a voulu faire pareil dans la ville natale de Lââm, mais il n'y avait aucune impasse.

Une vache peut monter un escalier mais pas le descendre. C'est pour ça que la Vache qui Rit® vit dans une ferme avec ascenseur.

« Indivisibilité » est le seul mot de la langue française avec une voyelle qui se répète 6 fois. Même si d'après Francky Vincent, il y a aussi « tu veux mon zizi oui oui oui oui ».

Plus de 176 tonnes de déchets ont été laissées sur la Lune lors des diverses missions spatiales. D'ailleurs si Neil Armstrong remarchait sur la Lune aujourd'hui, il dirait : « C'est un petit pas pour l'homme mais un grand boulot pour les éboueurs. »

Les Françaises vivent
en moyenne 84 ans, alors
que les Français, eux,
ne vivent que 78 ans.
Conclusion de cette étude :
les filles, laissez-nous regarder
le foot tranquillement parce
que quand on sera morts,
vous aurez la télé 6 ans rien
que pour vous !

Le plus vieil animal du monde
serait le quahog nordique,
un mollusque d'Islande.
On en a découvert des
spécimens de plus
de 400 ans. La preuve qu'ils
étaient vieux, c'est qu'en
mettant l'oreille dans leur
coquille, on n'entendait pas
la mer mais du Charles
Aznavour.

En moyenne, un homme
éjacule 7 200 fois dans sa vie :
7 200 fois, ça veut dire que
ce qu'on jette le plus par
la fenêtre, ce n'est pas l'argent
mais les enfants...

Comme les empreintes digitales, l'empreinte de la langue est différente pour chaque personne. C'est pourquoi Zahia mettait un préservatif sur la langue. Pour se protéger et pour ne pas être reconnue!

En 1981, le président François Mitterrand a oublié les codes nucléaires dans une veste partie chez le teinturier. Il les a récupérés une demi-heure plus tard, après avoir envoyé un motard les chercher. Pendant ces 30 minutes, le plus blanc n'a pas dû être le linge mais François Mitterrand…

Une île des Caraïbes propose
de se désintoxiquer
en passant une semaine sans
téléphone, sans Internet, sans
Twitter et sans Facebook pour
10 000 euros la semaine.
Pour beaucoup moins
cher la semaine,
y a exactement pareil
en France : l'Ardèche !

Chaque mois, 546 kilomètres
de papier toilette sont utilisés
au musée du Louvre.
Les momies, notamment,
en font un grand usage
lorsqu'elles veulent changer
de vêtements.

82 % des touristes chinois placent le shopping en tête de leurs priorités quand ils voyagent à l'étranger. Ils sont quand même très cons, les Chinois : faire des milliers de kilomètres pour aller acheter ce qui est fabriqué chez eux !

D'après une étude, les souris
à qui on fait écouter
du Mozart vivent plus
longtemps que les autres.
Et celles à qui on fait écouter
du Patrick Fiori essayent
de se pendre avec
leur propre queue.

Le plus grand puzzle commercialisé au monde est composé de 24 000 pièces. Et le temps de compter si par hasard il en manque une avant de le commencer, de toute façon, c'est trop tard : il n'est plus sous garantie.

27 % des Français mangent au moins 5 fruits et légumes par jour. Ceux qui en mangent le plus sont les vieux. Mais bon, ils trichent un peu puisque certains sont eux-mêmes des légumes.

Selon une étude, plus
les hommes font le ménage,
moins ils font l'amour. A moins
bien sûr que leur femme soit
une vraie planche à repasser.

Selon une étude, passer
du temps devant
un ordinateur portable
connecté en Wifi réduit
le nombre de spermatozoïdes.
La réduction doit être encore
plus grande si on est sur
YouPorn.

Les femmes vivent
en moyenne 6 ans de plus
que les hommes. C'est pour
ça que nous, les hommes,
on ne fait pas le ménage,
ni à manger. On n'a pas
de temps à perdre !!!

Marine Le Pen pratique le tir sportif. Ce qui lui permet de ressembler un peu plus à son père puisque pour tirer, il faut fermer un œil.

Regarder un film d'horreur
peut faire perdre 150 calories.
C'est beaucoup mieux que
regarder un film porno
qui, lui, ne fait perdre que
quelques grammes.

Pour soigner les plaies, les Aztèques utilisaient leur urine. Ce qui a dû causer quelques scènes étranges : « Docteur, faites quelque chose, j'ai mal ! » « Désolé, j'ai pas envie de faire pipi… »

Les pommes, les pommes de terre et les oignons ont exactement le même goût si vous les mangez en vous bouchant le nez. En revanche, quand vous le déboucherez, vous verrez qu'ils ne donnent pas la même haleine…

Rire pendant une heure peut faire perdre jusqu'à 500 calories. Autant dire que vous ne risquez pas de maigrir en allant voir un spectacle de Tex.

Les femelles kangourous ne peuvent pas avoir de bébé quand il fait trop chaud, car leur organisme devient automatiquement stérile. Et dans ces cas-là, elles disent à leur mâle : « Tu peux te la mettre dans la poche. »

La température moyenne
à la surface du globe
augmentera de 5 degrés d'ici
2100. Bonne nouvelle : si vous
habitez Besançon, plus que
88 ans avant de découvrir
les températures positives !

54 % des parents jouent aux jeux vidéo avec leurs enfants. Moi, par exemple, avec mon fils et ma femme, on se fait souvent un plan à PS3.

L'année 2012 a été la plus chaude de l'histoire au pôle Nord. Du coup, les ours polaires s'appellent maintenant des ours tee-shirts sans manches.

20 % des filles françaises
ne se protègent pas lors
de leur 1er rapport sexuel.
Susan Boyle, elle, a trouvé
un moyen infaillible
de se protéger contre
son 1er rapport sexuel :
sa gueule.

Selon un sondage,
les Français de gauche
préfèrent Astérix
et ceux de droite, Tintin.
Un petit blond rasé avec
une mèche, à mon avis,
à l'extrême droite on doit
aussi le kiffer…

Pour certaines femmes, faire l'amour est un remède contre le mal de tête. Si la vôtre vous fait le coup de la migraine, si ça se trouve, c'est parce que justement elle a très envie de vous.

La kénophobie est la peur de l'obscurité. Et non la peur de jouer au Keno. De toute façon, on ne peut pas jouer au Keno dans le noir.

20 % des maîtres et des maîtresses offrent un cadeau de Noël à leur chien. Au passage, vous aurez noté l'avantage du chien sur l'homme : ça ne dérange personne qu'il ait une maîtresse, lui.

Si Facebook était un pays,
il serait le 4e le plus peuplé
au monde, se situant après
la Chine et l'Inde mais devant
les États-Unis. Et le pays
auquel il ressemblerait le plus,
c'est Israël, car Facebook,
c'est un peu le Mur
des lamentations...

Avant de s'appeler comme ça, le café portait le nom de « vin arabe ». Même si du point de vue de l'islam, c'est très audacieux de mettre « vin » et « arabe » côte à côte.

Si on aligne tous les cheveux
que fabrique un homme
en une vie, on peut faire
un Paris-Nice puisqu'un
homme fabrique
950 kilomètres de cheveux.
En revanche, avec ceux
de Nicolas Canteloup, on reste
bloqué dans la capitale.

Un scorpion peut retenir
sa respiration pendant 6 jours.
Alors, ça doit vouloir dire que
quand un scorpion lâche une
caisse, ça sent très, très, très
mauvais…

En moyenne, une femme
passe 2 ans de sa vie
à se regarder dans un miroir.
Et à peu près autant de temps
à le regretter...

Les scientifiques de la NASA
ont découvert que le sol
martien ressemblait un peu
à Hawaï. Mais sur Mars,
comme il n'y a pas d'eau
et donc pas de vagues,
on doit beaucoup plus se faire
chier qu'à Hawaï.

La baleine a un pénis
de 2,50 m. Et encore c'est
au repos. Une info très
humiliante. Enfin, sauf
pour Rocco.

La tour Eiffel est repeinte tous les 7 ans. C'est donc la Parisienne qui se maquille le moins souvent!

Aux Jeux olympiques
de 1904, le gymnaste
américain a gagné
6 médailles alors qu'il avait
une jambe de bois. D'un
autre côté, François Hollande
a bien remporté l'élection
présidentielle alors qu'il avait
une langue de bois…

Le safran est plus cher que l'or, jusqu'à 30 000 euros le kilo. Si vous croisez quelqu'un qui a les dents jaunes, si ça se trouve, c'est un milliardaire qui s'est fait faire des dents au safran.

Avec plus de 18 centimètres
de moyenne en érection, les
Congolais sont champions
du monde du pénis.
Du coup, là-bas, les capotes
sont vendues dans les
magasins de sport au rayon
chaussettes de foot.

Une goutte de pluie tombe
en moyenne à 10 km/h. Donc
quand il y a un éclair, ce n'est
pas parce qu'elle vient
de se faire flasher.

En moyenne, chaque année, 650 Parisiens sont hospitalisés après avoir glissé sur une crotte de chien. Comme quoi, même du pied gauche, ça ne porte pas bonheur.

40 % des femmes épousent
le premier homme dont elles
tombent amoureuses. Comme
quoi, elles sont plus difficiles
pour choisir des chaussures
que pour choisir un mec…

Chaque année, les chats tuent
3 milliards d'oiseaux
et 20 milliards
de mammifères. Du coup,
maintenant, les reportages
sur les chats ne passeront plus
dans *30 millions d'amis* mais
dans *Faites entrer l'accusé*.

L'alphabet hawaïen n'a que 12 lettres. Autant dire que quand on joue au Scrabble à Hawaï, on doit vite se faire chier...

Aux Jeux olympiques,
les médailles d'or sont
en argent. Elles sont juste
recouvertes d'une fine couche
dorée. Donc un conseil à nos
athlètes : ne vous embêtez
pas à essayer de finir premier
puisque deuxième,
ça revient au même.
Je sais, c'est encore difficile.

Les cheveux poussent plus vite chez la femme que chez l'homme. Ce qui pousse le plus vite chez l'homme, c'est l'envie d'aller caresser d'autres cheveux que ceux de sa femme.

Les grenouilles ne boivent pas.
Elles se contentent de l'eau
contenue dans leur nourriture.
Si Gérard Depardieu
se convertit au bouddhisme,
je sais en quoi il ne voudra
pas se réincarner...

La penthéraphobie est
la peur de sa belle-mère.
En revanche, je précise que
la bellemèraphobie n'est
pas la peur des panthères.
Comme quoi…

Le livre le plus distribué
dans le monde est le
catalogue Ikea®, 160 millions
d'exemplaires contre
100 millions pour la Bible!
Cela dit, pour réussir à monter
un meuble Ikea®, on
a souvent besoin de la Bible,
car il faut un miracle.

Il y a 95 % de chances pour que l'espèce humaine ait disparu dans moins de 9000 ans. Et 100 % de chances pour que vous, lecteur, vous ne puissiez pas vérifier si c'est vrai…

Le mot *vodka* signifie « petite eau » en russe. Voilà pourquoi on en boit autant là-bas, on croit que c'est bon pour la santé !

Notre cerveau utilise 10 fois plus d'oxygène que notre corps pour fonctionner. Sauf chez les « Ch'tis à Las Vegas ».

50 % des Américains sont obèses. Et, ce qui semble logique, ce chiffre continue lui aussi à grossir...

En thaïlandais, le chiffre 5 se prononce « ha ». Si vous croisez un Thaïlandais qui fait « ha ha ha ha », ce n'est pas un comique mais un comptable.

45 % des Français ont déjà fait l'amour devant la télévision. Le pire reste quand même ceux qui ont déjà regardé la télévision en faisant l'amour...

La moitié des chèques émis en Europe le sont par les Français. Et, de plus en plus, ce sont des chèques en bois, ce qui est un juste retour des choses puisqu'il faut du bois pour faire des chèques.

Chaque année,
18 000 espèces animales
nouvelles sont découvertes
sur la planète. C'est
beaucoup, et encore
on ne prend pas en compte
les candidats de *Secret Story*.

30 % des Français sont
constipés, et 4 fois plus
les femmes que les hommes.
Voilà pourquoi le dialogue
le plus répandu dans
les couples, c'est : « Tu me fais
chier ! – Et alors, tu devrais
être contente ? »

À l'origine la colle Super Glue
a servi à recoller les plaies
des soldats blessés pendant
la guerre du Vietnam.
Par contre, pour les impacts
de balle plus gros que
la taille d'une pièce
de 2 euros, les soldats
ne pouvaient pas aller chez
Carglass® puisque sa création
remonte à 1986.

L'albatros est le seul oiseau au monde qui peut dormir en volant. Heureusement parce que lui, quand il fait un Paris - New York, il n'a pas de film pour passer le temps.

Le syndrome de Beaubourg est une maladie qui fait que l'on pleure à grosses larmes quand on mange. Pourtant d'habitude, c'est après manger qu'on pleure, au moment où on reçoit l'addition.

Boire 4 cafés par jour réduirait de 10 % le risque de devenir dépressif. Eh ben, Loana ne doit pas en boire souvent…

Le sperme des Français
a perdu un tiers de ses
spermatozoïdes en 17 ans.
Décidément, en ces temps
de crise, même nos bourses
sont en baisse…

En France, il y a 2 fois plus
d'arrêts maladie dans
le Sud que dans le Nord.
Et la maladie la plus
répandue dans le Sud, c'est
la journée à la plage.

Les enfants qui mangent plus
de 3 fois par semaine dans
un fast-food risquent d'avoir
de l'asthme. McDonald's®
a déjà prévu la parade
puisque désormais le jouet
du menu Happy Meal® sera
une Ventoline...

4 femmes sur 5 n'aiment pas leur apparence. Et du coup elles n'aiment pas non plus l'apparence de celle qui, sur les 5, aime bien la sienne !

33 % des femmes mentent
à propos de leur poids,
qui est d'ailleurs généralement
33 % supérieur à ce
qu'elles affirment.

Chaque Français produit
365 kilos de déchets par an.
Et même plus cette année
pour Chimène Badi puisqu'elle
a sorti un album.

L'estomac du homard a des dents ? Oui. Ça ne doit pas être pratique, car lui, quand il a une carie, il faut lui ouvrir le ventre.

Au Wisconsin aux États-Unis, une loi interdit à un homme de tirer un coup de feu quand sa femme a un orgasme. Par contre, il a le droit de tirer un coup, ce qui peut servir pour que sa femme ait un orgasme.

Une femme a 1 chance
sur 1 million d'avoir des triplés,
mais est-ce vraiment une
chance d'avoir des triplés...
à part pour jouer
au bonneteau humain ?

Un cheval peut boire plus
de 40 litres d'eau par jour.
Ce qui fait 40 litres de plus
que Gérard Depardieu.

Le kopi luwak est un café d'Indonésie récolté dans des excréments d'animaux, qui coûte 250 euros le kilo. C'est celui qu'on doit avoir dans les machines au boulot parce que ce café-là c'est vraiment de la merde.

93 % des gens ont déjà entré leur nom dans Google. Et les plus bourrés d'entre eux saisissent leur nom dans Google Maps pour retrouver où ils sont…

En France, 12 500 femmes chaussent du 45. Y compris Vincent McDoom. Et encore lui, avec du 45 comme avec certains hommes, il touche au bout…

La pandiculation consiste à s'étirer en se réveillant. Ça n'a donc rien à voir avec un rapport sexuel avec un panda.

La couleur que l'œil
de l'homme perçoit le plus
rapidement, c'est le jaune.
Surtout si c'est du pastis…

10 % des revenus
du gouvernement russe
proviennent de la vente
de vodka. D'ailleurs là-bas,
l'ISF, c'est l'Impôt Sur le Foie.

Une girafe peut décapiter un lion d'un seul coup de patte. Loana, elle, peut décapiter une barre Lion d'un seul coup de dents.

Quelques heures après
sa mort, on pète encore. C'est
pourquoi on laisse le cercueil
ouvert. Pour l'aérer.

Durant les 10 000 dernières années, l'Inde n'a jamais envahi aucun pays.
En revanche, elle a envahi beaucoup de restaurants pour vendre des roses.

En japonais, le chiffre 9 se prononce « kyu ». Exactement comme le mot souffrance. C'est pour ça que dans les hôpitaux nippons, il n'y a pas de chambre 9. Et que sans doute le 69 est considéré comme une pratique SM...

La plupart des rouges
à lèvres contiennent des
écailles de poisson. Comme
quoi en matière
de maquillage, on part
de la morue et on y retourne
parfois.

En Israël, la colle sur
les enveloppes est certifiée
casher. Et en cas de doute,
le mieux, c'est d'écrire
au rabbin.

Un escargot se déplace
à la vitesse de 360 mètres
à l'heure. Du coup, pour
un escargot, une tortue,
c'est Usain Bolt.

En 1966, la skieuse autrichienne Erika Schinegger a perdu son titre de championne du monde parce qu'on a découvert que c'était un homme. En fait, elle avait un 3e bâton mais entre les jambes.

Les femmes pleurent
en moyenne 47 fois par an.
Et les 47 fois c'est parce qu'il
n'y a plus leur taille
au moment des soldes…

Les boîtes noires des avions sont orange. C'est pour ça qu'on ne les retrouve jamais… « Dis donc, j'ai repêché une boîte orange, j'en fais quoi ? – Rebalance-la à la mer, ça doit pas être ça ! »

En Floride, une loi interdit de faire l'amour à un porc-épic. C'est vrai que c'est dangereux, en plus vous êtes sûr de percer votre capote.

0,1% des hommes ont un pénis de plus de 22 centimètres. Les filles, quand vous avez un mec comme ça, y a pas qu'à la piscine que vous faites des longueurs.

Le plus long baiser du monde
a duré plus de 50 heures.
Au bout desquelles l'homme
a dit à sa chérie :
« C'est bon, tu les as eus,
tes préliminaires ! On peut b...
maintenant ? »

Si elle était en vie, les mensurations de Barbie® seraient 95-45-85. D'ailleurs, elle est en vie mais sous le nom de Victoria Silvstedt.

En une vie, on utilise
900 mètres de dentifrice.
Et un peu plus si on
est Ronaldinho.

À l'origine, le yoyo était une arme utilisée par les guerriers philippins. Et pour encercler leurs ennemis, ils leur mettaient des hula hoops ?

Tohru Iwatani a inventé
Pacman en voyant une pizza
à laquelle il manquait une
part. Et l'œil de Pacman,
donc, devait être une olive.

En japonais, *karaoké*
signifie « orchestre vide ».
Et quand certains chantent
au karaoké, c'est surtout
la salle qui se vide…

Le seul aliment qui ne pourrit pas est le miel. C'est pour ça que sur les pots de miel, il est écrit « date limite de consommation : jamais ».

Un homme produit environ 60 kilos de matières fécales par an. Ce qui est le poids de ceux qui ont un corps de m...

Le record du monde
de la plus grande
plongée collective
est de 2 486 plongeurs.
Les poissons ont dû croire
que c'était une manif'
de plongeurs en colère.

On met en moyenne
7 minutes à s'endormir.
Ce qui est aussi la durée
moyenne d'un rapport sexuel.
Ceux qui font les deux en
même temps disent d'ailleurs
à leur partenaire : « Si jamais
je jouis, réveille-moi,
que j'en profite. »

Chez le moustique, seule
la femelle suce l'homme.
Alors que chez l'homme, mâle
comme femelle le font.
Enfin pas tous les mâles.

En 2009, le Zimbabwe a émis des billets de 100 milliards de dollars zimbabwéens. C'est tellement la crise là-bas qu'un rouleau de papier toilette a plus de valeur qu'une liasse de billets.

Une femelle furet meurt
si elle est en chaleur et ne
trouve pas de mâle. D'ailleurs
la chanson de Francis Cabrel
« Je l'aime à mourir »
aurait été écrite par
une femelle furet.

La France est frappée
en moyenne chaque année
par 1 million d'éclairs. Ce qui
fait 14 millions avec ceux qui
ne viennent pas du ciel mais
du bord des routes.

En Islande, il existe
un musée national des
phallus qui réunit les organes
génitaux de tous
les mammifères terrestres.
La 1re pièce du musée
se trouve devant puisque pour
y entrer, il y a la queue.

L'ornithorynque est un mammifère et pourtant il pond des œufs. Il y a d'ailleurs chez lui un proverbe qui dit : « On ne fait pas d'ornithorynque sans casser des œufs ! »

Le chant des baleines
pourrait être entendu
à 3000 kilomètres à la ronde.
C'est pratique, les baleines
peuvent participer à
The Voice sans bouger
de chez elles.

La couille du pape est une variété de figue. Elle a la particularité d'être bien pleine comme son nom l'indique.

Dans le ventre de la mère, l'anus est formé avant la bouche. C'est la preuve scientifique qu'avant même de nous donner à manger, notre mère nous faisait déjà ch…

Il y a plus de gens qui parlent en anglais en Chine qu'aux États-Unis. Sans doute pour comprendre ce que veut dire « made in China »...

Il faut faire une longueur
de terrain de football
en courant pour éliminer
les calories d'un seul M&M'S®.
Autant dire que pour éliminer
un paquet, il faut jouer
une saison entière
de championnat de France!

Les femmes passent en tout 40 jours de leur vie à faire pipi. Contre 36 jours pour les hommes. Quand on dit que les hommes passent leur vie à attendre les femmes…

Il y a plus de vitamine C dans le chou que dans l'orange. C'est pour ça que se prendre le chou, c'est bon pour la santé !

À Hong Kong, on peut se marier dans un McDonald's®. Et quand le prêtre demande au mari s'il veut épouser sa femme, il répond : « Oui, avec une petite frite et un Coca ! »

Selon certains historiens,
Jeanne d'Arc était en réalité
un homme. Du coup si ça
se trouve, pour la faire brûler,
les Anglais lui ont allumé
sa petite mèche…

En France, les femmes font
80 % des tâches ménagères.
Ce n'est pas assez, on doit
les aider pour qu'elles
réussissent à faire plus !

À son travail, chaque Français reçoit en moyenne par jour 74 mails, dont 13 spams. Une solution existe pour éviter ça : le chômage !

Des Écossais ont inventé un
biocarburant à base
de whisky. S'il arrive
en France, on pourra faire
le plein de sa Renault.
Mais aussi de Renaud.

Selon une étude, à partir
de 25 ans, chaque heure
passée devant la télé réduit
l'espérance de vie
de 22 minutes. Autant dire
que si vous êtes vendeur
de télés, vous avez peu
de chances de passer
la trentaine.

Les Italiens sont les Européens
qui passent le plus de temps
à jouer avec les enfants.
La preuve, Silvio Berlusconi.

Le pénis d'un gorille en
érection mesure à peine
5 centimètres. King Kong
donc, mais pas king size...

Pour produire 1 kilo de miel,
les abeilles cumulent plus
de 16 000 heures de travail.
Si on veut continuer
à pouvoir en manger,
espérons qu'elles ne passent
pas aux 35 heures...

La galette des Rois servie
à l'Élysée ne contient pas
de fève. De toute façon quand
Nicolas Sarkozy était président,
il n'y en avait pas besoin,
il faisait lui-même la fève…

Le sperme pourrait avoir un rôle antidépresseur chez les femmes. Si vous arrivez à leur faire avaler ça, vous êtes vraiment fort!

Une étoile de mer n'a pas de cerveau. Elle a donc le profil parfait pour faire de la télé-réalité.

Le mot « Sopalin » est
l'abréviation de Société
des Papiers Linges.
Mais la plupart des gens
qui utilisent de l'essuie-tout
Sopalin® s'en bran…!

Le cornichon est un fruit. Sans « cor » aussi, et celui-là, on le mangerait bien volontiers 5 fois par jour.

Un tyrosémiophile est une personne qui collectionne les étiquettes de fromage. Et sans doute aussi un célibataire.

22 millions de Français
souffrent d'allergies.
Et la principale est celle
au boulot...

Hakuna matata du *Roi Lion*, en swahili, signifie : « Pas de problème. » Donc précisément la phrase qu'on ne dit pas quand on se retrouve, en vrai, face à un lion !

La virgule « Nike » a été créée en 1971 par un étudiant en graphisme et lui a été achetée 30 euros. Autant dire qu'il s'est bien fait « Niké »!

Le fabricant n° 1 de pneus
au monde, c'est Lego, avec
306 millions de petites roues
en caoutchouc pour ses jouets.
Ah, ça va le faire un peu
dégonfler d'apprendre ça,
le bonhomme Michelin®!

Les chauves-souris sont
les seuls mammifères qui
volent. Avec Superman
quand même!

150 000 préservatifs ont été distribués aux JO de Londres, soit 14,3 par athlète.
Le 0,3 était apparemment un préservatif sur mesure pour les athlètes chinois.

La tour Eiffel vaudrait
434 milliards d'euros. Comme
quoi – mais on le savait
depuis Zahia – ça peut
rapporter gros de se faire
monter dedans…

Dormir avec des chaussettes réduit vos chances de vous réveiller la nuit. Mais réduit aussi votre glamour.

Dans la collection **Le petit livre**,
vous trouverez également les thématiques suivantes :

Cuisine - Diététique

Arts - Histoire - Spiritualités - Savoirs

Astrologie - Humour - Jeux - Insolites

Vie pratique - Vie professionnelle

Langue française - Langues

Développement personnel - Vie de famille - Santé

Jeunesse

Pour consulter notre catalogue et
découvrir les dernières nouveautés,

rendez-vous sur www.editionsfirst.fr !